Téann an seisear ar shiúlóid sa dumpa ...
Mmm, nach breá an rud a bheith amuigh faoin aer!
Bruscar agus bréantas i ngach treo. Dar mo thrátaí, is beag duine nach mbainfeadh sult as sin!

Tá iontais an domhain le feiceáil sa dumpa, a chairde. Cad é seo romhainn, meas sibh?

Bzzz!
Bzzz!
Beacha! Is fuath liom beacha! Scaoil isteach mé, a Fhathaigh!

Go deas ciúin, a chairde. Ní fhaca siad muid go fóill ...

An gCacann Beacha?

Agus mórcheisteanna eolaíochta eile ...

AN SEISEAR SALACH

Thomas Kingsley Troupe a scríobh

Derek Toye a mhaisigh

An Gúm

Baile Átha Cliath

SEO AN SEISEAR SALACH:

CRÚSTA

Ceapaire blasta a bhí i gCrústa tráth. Leitís úr agus trátaí blasta, neam neam! D'imigh sé ó mhaith ó shin, faraor. Bíonn sé crosta cantalach agus ní stadann sé de bheith ag gearán.

RUAIRÍ

Is srónbheannach beag é Ruairí a bhfuil cónaí air i ndumpa na cathrach. Tá paiste ar a shúil faoi mar a bheadh foghlaí mara ann. Ní thagann a chuid cairde ar cuairt chuige sa dumpa bréan. Mar sin, rinne Ruairí buíon nua cairde dó féin - an Seisear Salach!

GIOBÓG

Is béirín ó sheastán sorcais í Giobóg. Thit sí isteach i súlach salach i mbosca bruscair oíche amháin agus níl sí mar an gcéanna ó shin.

BRÍCÍN

Is bríce é Brícín. Tá eagla a bheatha air roimh fheithidí - go mór mór roimh bheacha. Is aisteach sin ar ndóigh ... mar gur bríce atá ann.

SPLAINCÍN

Róbat is ea Splaincín. Is as cannaí a rinneadh í. Tagann fíricí randamacha léi mar a bheadh draíocht ann.

AN FATHACH FUAR

Cuisneoir mór tréan is ea an Fathach Fuar. Tháinig lámha agus cosa air oíche amháin agus é ina chnap codlata.
Ní deir sé mórán ach, m'anam, tá sé ríláidir.

Rabhadh! Rabhadh!
Áit chónaithe na mbeach tar éis titim.
Leibhéal feirge na mbeach tar éis éirí.
Bzzzz!
Bzzzz!
Ugh, gránna! Carn clúidíní bréana!
Tá an phraiseach ar fud na coirceoige anois!

Hmm, ag trácht ar rudaí bréana ... Meas sibh, an gcacann beacha?
Agus an gcacann siad le chéile?

Tá tuairim agamsa go gcacann beacha.

I ndáiríre? Ní fhaca mise ar an leithreas riamh iad!

Is ea, a Ruairí. Tá an áit breac le beacha. Má tá siad go léir ag cacadh, abair thusa linn cá bhfuil sé go léir ag dul?

Bhuel, ní bheadh mórán i gceist is dócha. Bundúiníní beaga bídeacha atá ar bheacha.

Tá loighic leis an smaoineamh sin, a Ruairí. Nuair a itheann rud beo cruthaíonn sé fuíollábhar. Stórálann roinnt rudaí beo an t-ábhar sin taobh istigh dá gcorp féin fiú.

Dar bréantas! Bíonn carn bruscair laistigh díobh féin acu?

Go **beach**t!

Sílim gur gá do gach rud beo bia a ithe. Faigheann an corp fuinneamh ón mbia. Agus cruthaíonn plandaí a gcuid bia féin as solas, aer agus uisce.
Fuinneamh?
Fuinneamh de chineál eile, a Fhathaigh.
Agus céard is cúis leis an gcarn bréan seo?

Bhuel, aon rud nach n-úsáideann an corp, déanann sé beartán de agus seolann sé amach é.
Ha ha! Sin ceann maith! Beartán a sheoladh amach!
An bhfuil na beacha sin fós thart? An gcloiseann aon duine mé?

Haigh! Ná bí ag cur do ladair inár ngnó, a mhiceo! Fág síos ár nead!
Gabh mo leithscéal! Is mise Ruairí. Cé thusa?
Mise Beairtle. Cén chealg atá ar bun agaibhse lenár nead?
Nílimid ach ag iarraidh cabhrú libh. Bhí bhur nead beagnach clúdaithe le clúidíní.
Arís! Táimid tite síos sa saol.

Fág as a bheith ag cuimilt meala leis an mbeach sin agus mínigh seo dom. Cén fáth nach bhfuil an charraig seo ag ithe?

Éasca Péasca! Ní rud beo í an charraig. Ní itheann rudaí nach bhfuil beo.

Seo leat mar sin, má tá tú chomh crua! Greim amháin!

Tá seans .00053 in aghaidh 1 billiún ann go mbainfidh an charraig sin plaic asat.

Á há! Tá tú a rá liom go bhfuil seans ann go n-íosfadh sí mé ... agus go gcacfadh sé amach arís mé!

Ná buair do liamhás faoi! Níl an charraig sin chun baint leat, olc ná maith! Ní itheann rudaí neamhbheo ... agus mar sin ní chacann siad.

Tarraingígí anáil dhomhain, a chairde. An bhfaigheann sibh boladh an bhruscair? Ní féidir ach le rudaí atá beo análú.
B'fhearr liom a bheith neamhbheo.

Rudaí beo amháin? An bhfuil tú cinnte?

Cinnte dearfa. Má tá rud beo is gá dó análú, ar shlí amháin nó ar shlí eile.

Céard faoin eitleán sin thuas sa spéir. Féach an ghal ag teacht as. Nach bhfuil sé sin ag análú?

Ní rud beo é an t-eitleán. Meaisín atá ann agus úsáideann sé breosla chun eitilt. Sceitheadh ón inneall atá sa chonair bhán sin ina dhiaidh.

Tá na focail mhóra seo go léir ag cur néal orm. Níl ann ach caint san aer!

An bhfuilimid ann go fóill?

Ná fág ár nead ansin, a Fhathaigh.
Á! Féach an piscín álainn ina chodladh sa ghrian! Ná dúisígí é.

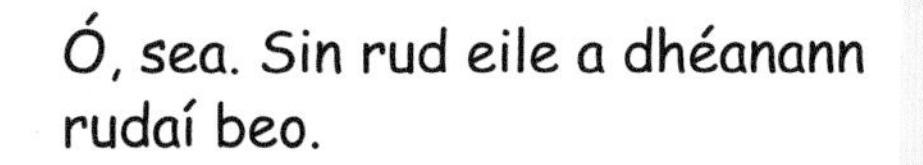
Ó, sea. Sin rud eile a dhéanann rudaí beo.
Céard é féin? Crónán ar mhaithe leo féin, an ea?
Ní hea. Ligeann siad scíth.

Ach tá gach uile rud anseo ag ligean scíthe. Féach go bhfuil an bhábóigín seo ina cnap codlata fiú.

Múscail í, más ea.

De réir mo chuidse taighde ní mhúsclóidh an bhábóg sin go deo. Ní thitfidh sí ina codladh go deo ach oiread, áfach. Tá sí neamhbheo.

Ní bhíonn sé in am leapa riamh do rudaí nach bhfuil beo!

Seo leat amach as bolg an Fhathaigh, a Bhrícín. Caillfidh tú an spórt ar fad!

Ní go mbeidh na beacha sin imithe. Tá a fhios agaibh go gcuireann siad eagla an domhain orm.

Ní hea, ná é. Téann roinnt ríomhairí a chodladh chun cumhacht a shábháil. Ní hionann sin agus codladh ceart mar a dhéanann rud beo.

M'anam don mhustard! An bhfuil tú a rá liom go ndéanann rudaí beo rudaí beo eile? Mar a dhéanfá le ceapaire?

Cá mbeifeá mar sin? Sa zú?

Ní bheinn in aon áit. Is é is atáirgeadh ann ná a thuilleadh de do chineál féin a chruthú. Bíonn srónbheannaigh bheaga ag srónbheannaigh mhóra, mar a bhíonn coileáin ag madraí agus mar a bhíonn páistí ag daoine fásta.

Agus bíonn síolta i ngach tráta freisin.

Tá rud amháin eile a dhéanann gach rud atá beo: faigheann sé bás.

BÁS? BRÉAG!
Bás? Céard a dúirt sé?

Déanfaidh sé seo cúis, a chairde.

Tá sé fíor, faraor. Gach rud beo, beirtear é, maireann sé ar feadh tamaill agus ansin faigheann sé bás.
Truflais agus bréaga ó thús deireadh!
De réir mo chuidse taighde, ní bhíonn ach saolré theoranta ag gach rud beo.

Faigheann beacha bás tar éis dóibh ga a chur i nduine.

Pian sa tóin é sin.
Tá sé sin uafásach!

Ach, éist leis seo. Gach rud beo, faigheann sé bás, ach bíonn rudaí nua i gcónaí ag teacht ar an saol freisin.

Sin é anois. Gach rud réitithe.
Maith sibh, a Sheisear Salach!
Feicim an rud a rinne tú. Chuir tú teach do rudaí beo suas in airde sa chrann atá marbh.

Díreach é. Uaireanta bíonn rudaí beo agus rudaí neamhbheo ag brath ar a chéile.

Féach an rud a bhí anseo istigh, próca meala! Ach má chacann beacha ... an dóigh libh ...
Tóg go bog é! Cacann beacha, cinnte, ACH ní chacaimid mil! Ní hea, is é an bealach a ndéanaimid mil ná í a chaitheamh aníos!

Caitheamh aníos na mbeach? Tá sé breá blasta cibé é féin!
Ná habair!

Foclóirín

Tá brí na bhfocal
á lorg agat?
Treise Leat!

atáirgeadh – ceann eile de do chineál a chruthú – *reproduction*

caitheamh aníos – nuair a thagann rud atá ite agat aníos ó do bholg arís agus amach as do bhéal – *vomiting*

clúidín – rud a chuirtear ar thóin leanaí óga chun cac agus mún a bhailiú – *nappy*

crónán – an glór a dhéanann beach agus é ag eitilt - *humming*

fuíollábhar – an t-ábhar nach bhfuil an corp in ann a úsáid – waste product

ga – an chealg a bhíonn ag an mbeach (bíonn sé pianmhar!) – *sting*

próiseálaí inmheánach – inchinn an ríomhaire – *internal processor*

sceitheadh – gás nó gal a thagann ó inneall agus é ag obair – *exhaust*

scíth a ligean – sos a ghlcadh – *take a rest*

Níos mó le léamh

Dar le mo chuid
braiteoirí tá leabhair
gach pioc chomh blasta
le próca meala!

Maynard, Jacqui. *Eoin Eolaí: Bealach an Bhia.* An Gúm, 2002.

Rowan, Kate. *Eoin Eolaí: Cogadh na bhFrídíní.* An Gúm, 2002.

Rowan, Kate. *Eoin Eolaí: Fiacla Folláine.* An Gúm, 2002.

Rowan, Kate. *Eoin Eolaí: Tá mo Chuid Ceall ag Fás.* An Gúm, 2002.

Súil Siar

1. Tá difríochtaí idir rudaí atá beo agus rudaí atá neamhbheo. Ainmnigh trí cinn den dá chineál?
2. Faigheann rudaí beo bás agus tagann rudaí beo eile ar an saol. An maireann rudaí neamhbheo go brách?
   Féach ar líne agus déan taighde chun an freagra a fháil.

Innéacs

Picture Window Books a chéadfhoilsigh in 2015 faoin teideal *Do Bees Poop? Learning about living and nonliving things with the Garbage Gang*

Derek Toye a mhaisigh
Dearthóir: Lori Bye
Stiúrthóir Ealaíne: Nathan Gassman

Taighde agus Comhairle:
Christopher T. Ruhland, PhD,
Terry Flaherty, PhD,
Ollscoil Stát Minnesota, Mankato

Arna chlóbhualadh sa tSín

ISBN 978-1-85791-919-6

Foilseacháin an Ghúim a Cheannach

Siopaí
An Siopa Leabhar (01) 478 3814
An Siopa Gaeilge (074) 9730500
An Ceathrú Póili (028) 90 322 811

Ar líne
www.litriocht.com
www.iesltd.ie
www.siopagaeilge.ie
www.cnagsiopa.com
www.siopa.ie
www.cic.ie

An Gúm, 24-27 Sráid Fhreidric Thuaidh, Baile Átha Cliath 1

Leabhar eile!!!! Ag magadh atá tú? Nach iontach an scéal é sin!

Amadán!

Ar Fáil Freisin:

Mura bhfuil tú bréan den Seisear Salach, bain triail as an leabhar eile seo ón tsraith chéanna: *Cén Fáth a mBím ag Broimneach? Agus mórcheisteanna eolaíochta eile ...*
Bíonn eachtra eile ag an Seisear Salach sa dumpa agus foghlaimíonn siad mar gheall ar an gcóras díleá.